folio cadet ▪ p

Le Petit Nicolas
d'après l'œuvre de René Goscinny
et Jean-Jacques Sempé

Une série animée adaptée pour la télévision par Matthieu Delaporte, Alexandre de la Patellière et Cédric Pilot / Création graphique de Pascal Valdès / Réalisée par Arnaud Bouron
D'après l'épisode « Le vélo » écrit par Clélia Constantine.

Adaptation : Emmanuelle Lepetit

Maquette : Clément Chassagnard
Le papier de cet ouvrage est composé de fibres naturelles, renouvelables, recyclables et fabriquées à partir de bois provenant de forêts plantées et cultivées expressément pour la fabrication de la pâte à papier.
Loi n° 49-956 du 16 juillet 1949 sur les publications destinées à la jeunesse
ISBN : 978-2-07-064494-0
N° d'édition : 250566
Premier dépôt légal : février 2012
Dépôt légal : novembre 2012
Imprimé en France par I.M.E.

Le Petit Nicolas

Papa m'offre un vélo

GALLIMARD JEUNESSE

Le Petit Nicolas et ses copains

Maman Papa

Alceste Clotaire Eudes

La maîtresse Le Bouillon

Louisette Marie-Edwige Geoffroy Agnan

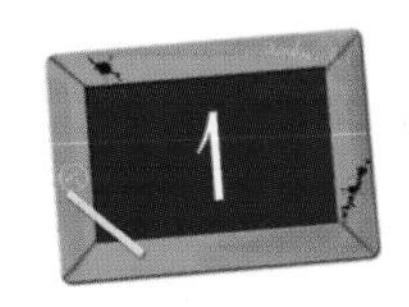

En sortant de l'école aujourd'hui, Nicolas n'a qu'une hâte : rentrer à la maison. Devant le terrain vague, ses copains l'interpellent :

– Hé, Nicolas ! Tu te rappelles qu'on va jouer aux cow-boys et aux Indiens cet après-midi ?

– Je ne peux pas ! répond le garçon sans s'arrêter.

Nicolas file sur le trottoir. Plus que dix mètres, cinq mètres, un mètre... Il ouvre le portail de son jardin, le cœur battant, et pousse un grand cri de joie :

– Chouette !

Posé au milieu du jardin, il est là : le vélo de ses rêves ! Son tout premier vélo.

– Merci Papa ! Merci Maman ! hurle Nicolas, ravi.

Et il se précipite pour grimper dessus.

- Attention ! s'écrie aussitôt son père en attirant le vélo vers lui. Avoir un vélo demande un grand sens des responsabilités.

Nicolas fait oui de la tête et avance à nouveau la main vers son vélo.

- Attends ! reprend son père. Il faut que je te montre comment on fait.

Et il ajoute, tout fier :

– Parce que, tu sais, si je n'avais pas rencontré ta mère, j'aurais pu être champion cycliste...

– Pardon ? sursaute la maman de Nicolas.

– Bah, c'est vrai, j'étais en bonne position pour gagner le Tour de France, enfin... au moins, le concours régional, bafouille le papa de Nicolas.

– Eh bien, ça fait plaisir à entendre ! lâche son épouse, vexée.

Et elle retourne dans la maison, en claquant la porte derrière elle.

Un quart d'heure plus tard, Nicolas n'a toujours pas réussi à approcher son vélo.

Perché sur la petite selle, son papa fait des tours dans le jardin en expliquant :

– Tu vois, il faut bien appuyer sur les pédales avec le talon, et non la pointe du pied, parce que...

« Blabla, blabla, blabla. » Nicolas en a assez de tous ces discours inutiles : après tout, il sait très bien faire du vélo comme un grand, lui !

– Je peux essayer maintenant ? râle Nicolas.

Son père met pied à terre. Nicolas saisit le guidon et s'apprête enfin à sauter en selle quand la tête de M. Blédurt, le voisin, apparaît derrière la haie.

– Sache, cher voisin, que je fus champion de Mayenne !

– Et moi, champion des Alpes, réplique le papa de Nicolas.

Les deux hommes se défient du regard.

– Tu penses être si fort que ça ? sourit M. Blédurt. Alors faisons la course et on verra !

– Excellente idée ! répond le papa de Nicolas.

Et, soulevant le vélo, il se dirige vers le portail.

– Hé ! c'est mon vélo ! proteste Nicolas.

Mais son père a déjà quitté le jardin, emportant le vélo avec lui.

Dans la rue, le papa de Nicolas se concentre, les yeux fixés sur la route comme un coureur du Tour de France. Sauf que le vélo est un peu petit pour lui...

– Trois, deux, un, partez ! annonce Nicolas, chronomètre en main.

Nicolas aurait bien aimé faire la course, lui aussi, mais son papa lui a demandé de jouer le rôle de l'arbitre.

Le père de Nicolas part aussi vite que possible... C'est-à-dire en pédalant en zigzag car ses genoux touchent le guidon !

Dix minutes plus tard, il réapparaît au coin de la rue. Il pile devant Nicolas qui annonce :

– Neuf minutes et cinq secondes !

– Trop... pfiou, pfiou... fa... facile ! halète le papa de Nicolas, qui a l'air totalement épuisé.

C'est au tour de M. Blédurt de monter tant bien que mal sur le petit vélo.

– Trois, deux, un, partez ! répète Nicolas.

Et c'est parti pour un autre tour du quartier.

En chemin, M. Blédurt passe devant le terrain vague où les copains de Nicolas jouent aux cow-boys.

– Oh ! regardez, les gars : un gros poulet sur un vélo ! s'écrie Clotaire.

Furieux, M. Blédurt se retourne pour leur montrer son poing. Du coup, il ne voit pas Alceste, déguisé en Indien, qui traverse le passage clouté.

Alceste non plus ne le voit pas, car il a les yeux fixés sur le pain au chocolat qu'il est en train de déguster.

Quand M. Blédurt s'aperçoit de son erreur, c'est trop tard pour freiner. Alors il donne un grand coup de guidon... et va s'écraser dans les poubelles posées sur le trottoir !

Devant la maison, Nicolas attend le retour de M. Blédurt. Son papa, lui, a les yeux rivés sur le chronomètre.

– Neuf minutes et trois, quatre, cinq et... six secondes. J'ai gagné !

– Bon. Je peux avoir mon vélo maintenant ? demande Nicolas.

C'est alors que ses yeux s'écarquillent. Au bout de la rue, M. Blédurt vient juste d'apparaître. Il est à pied. Sur la tête, il porte une peau de banane écrasée. Et, sous le bras, un petit vélo tout cassé.

Ce spectacle fait rire le papa de Nicolas aux éclats.

Mais Nicolas, lui, ne trouve pas ça drôle du tout. Stupéfait, il regarde le vélo de ses rêves... tout fracassé !

Revenus dans le jardin, les deux voisins continuent à se chamailler.

– Cette course ne compte pas, râle le voisin.

– Bien sûr qu'elle compte, j'ai gagné, je suis le champion ! fanfaronne le père de Nicolas.

La colère de Nicolas explose d'un seul coup :

– Vous avez bientôt fini de faire les guignols ? Vous avez cassé mon vélo !

Le papa de Nicolas jette un regard inquiet vers la maison et se dépêche de dire :

– D'accord, d'accord, je vais te le réparer. Ne pleure pas : sois un vrai petit homme. Et surtout... euh... ne dis rien à ta mère !

Tandis que le papa de Nicolas se met au travail, une bande de cow-boys et d'Indiens déboulent dans le jardin.

– Qu'est-ce que vous faites là ? demande Nicolas à ses copains.

– On n'arrivait pas à décider qui serait le méchant, alors on a voté que ce serait toi, explique Clotaire.

– Mais moi je veux être le shérif ! se fâche Nicolas.

– Non, c'est moi le shérif ! réplique Joachim.

– Pas du tout, môssieur. Ce sera moi ! décrète Geoffroy.

C'est bientôt la bagarre générale.

– Qu'est-ce que c'est que ce bazar ?

Le papa de Nicolas s'avance, la selle du vélo dans une main, le guidon dans l'autre.

– Je te préviens, Nicolas, si tu continues à te chamailler, tu seras privé de dessert ce soir.

C'en est trop pour Nicolas, qui éclate en gros sanglots.

– Allons, petit, ne sois pas triste, intervient M. Blédurt, avec un drôle de sourire. J'ai une idée : c'est ton papa qui va faire le méchant.

– Bah non... j'ai un vélo à réparer, moi ! proteste le père de Nicolas.

Mais, deux minutes plus tard, il se retrouve ficelé comme un saucisson à l'arbre du jardin tandis que Nicolas et ses copains exécutent autour de lui la danse des Indiens.

Pendant ce temps, dans le ciel, des nuages sont venus masquer le soleil. Il ne va pas tarder à pleuvoir...

– Venez vous abriter, les enfants ! appelle la maman de Nicolas. J'ai préparé de la mousse au chocolat pour le goûter.

– Ouaiiiis ! s'écrient les garçons en se précipitant à l'intérieur.

– Ah ! te voilà, chérie, soupire le papa de Nicolas. Détache-moi, s'il te plaît !

Son épouse ne l'entend pas de cette oreille :

– Tatata ! répond-elle. Un peu de solitude te fera du bien. Ainsi, tu pourras réfléchir à la chance que tu as eue de me rencontrer !

Puis elle se tourne vers M. Blédurt, tout sourires :

– Vous viendrez bien prendre le goûter avec nous, cher monsieur ?

– Avec grand plaisir, chère madame.

Et, faisant un salut moqueur à son voisin, M. Blédurt part se régaler de mousse au chocolat.

Dans le jardin, le papa de Nicolas se retrouve seul, attaché à son arbre.

Seul ? Pas tout à fait. Car Nicolas est resté là. Planté devant son père, la roue tordue de son vélo à la main, ses yeux lancent des éclairs, comme le ciel d'orage.

Le papa de Nicolas se met à pleurnicher :

– Nicolas... Je t'en prie... Détache-moi ! Je suis désolé pour ton vélo.

Mais Nicolas ne bouge pas.

Au même instant, la pluie commence à tomber à grosses gouttes.

– Bon, tu as gagné. Demain, j'irai acheter un vélo tout neuf ! craque le prisonnier.

Nicolas bondit de joie et court dans les bras de son papa. Il s'apprête à le détacher quand...

– Nicolas ?

– Euh... oui, Maman ?

– Laisse ton père s'amuser tranquillement et viens manger ton goûter.

Un peu plus tard, en regardant par la fenêtre du salon, Alceste sursaute :

– Vous avez vu, les gars ? Le père de Nicolas, il s'est privé de mousse au chocolat pour continuer à jouer avec nous sous la pluie... Même si on n'est plus là !

– Ouais, dit fièrement Nicolas. J'ai le plus chouette papa du monde. Il est toujours prêt à faire le guignol et, en plus, vous savez quoi ? Il m'offre plein de vélos !

Pour les jeunes apprentis lecteurs
Niveau 2

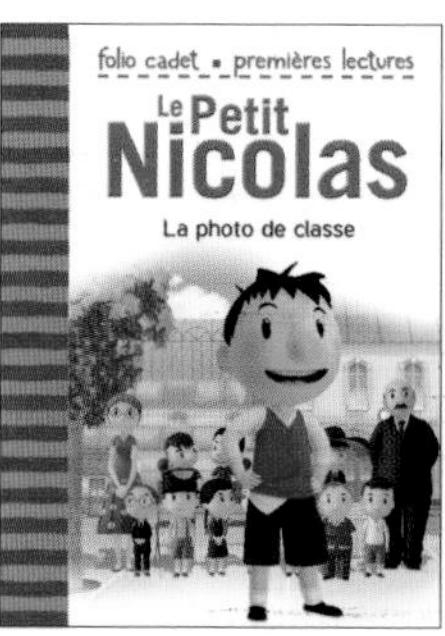

n° 1 *La photo de classe*

n° 2 *Même pas peur !*

n° 3 *Les filles, c'est drôlement compliqué !*

Retrouve le Petit Nicolas sur le site www.petitnicolas.com